Imprimé en France par Qualibris *(J-L)*
dépôt légal février 2007
20.07.1055.03/1 – ISBN 978-2-01-201055-0
Loi n° 49-956 du 16 juillet 1949
sur les publications destinées à la jeunesse.

Jurassic nœunœuf

SÉRIE 
DANS LA BIBLIOTHÈQUE VERTE

Mission quasiment impossible
Menace arachnide
Les évadés de la colo
Train-train fantôme
Record maximum
Lapin-garou
Méduse Beach
Jurassic nœunœuf

D'après Midam

Jurassic nœunœuf

Adaptation : Claude Carré

D'après la série télévisée "KID PADDLE" adaptée des albums
de bande dessinée, parus aux Éditions Dupuis.
Une coproduction Dupuis Audiovisuel, M6,
Spectra Animation, Canal J, RTBF.
En collaboration avec Teletoon Canada.
Histoire originale de Midam, Ilya Nicolas et Frédérick Maslanka.
Story-board de Céline Gobinet.
Maquette : Françoise Michaux, Dupuis.

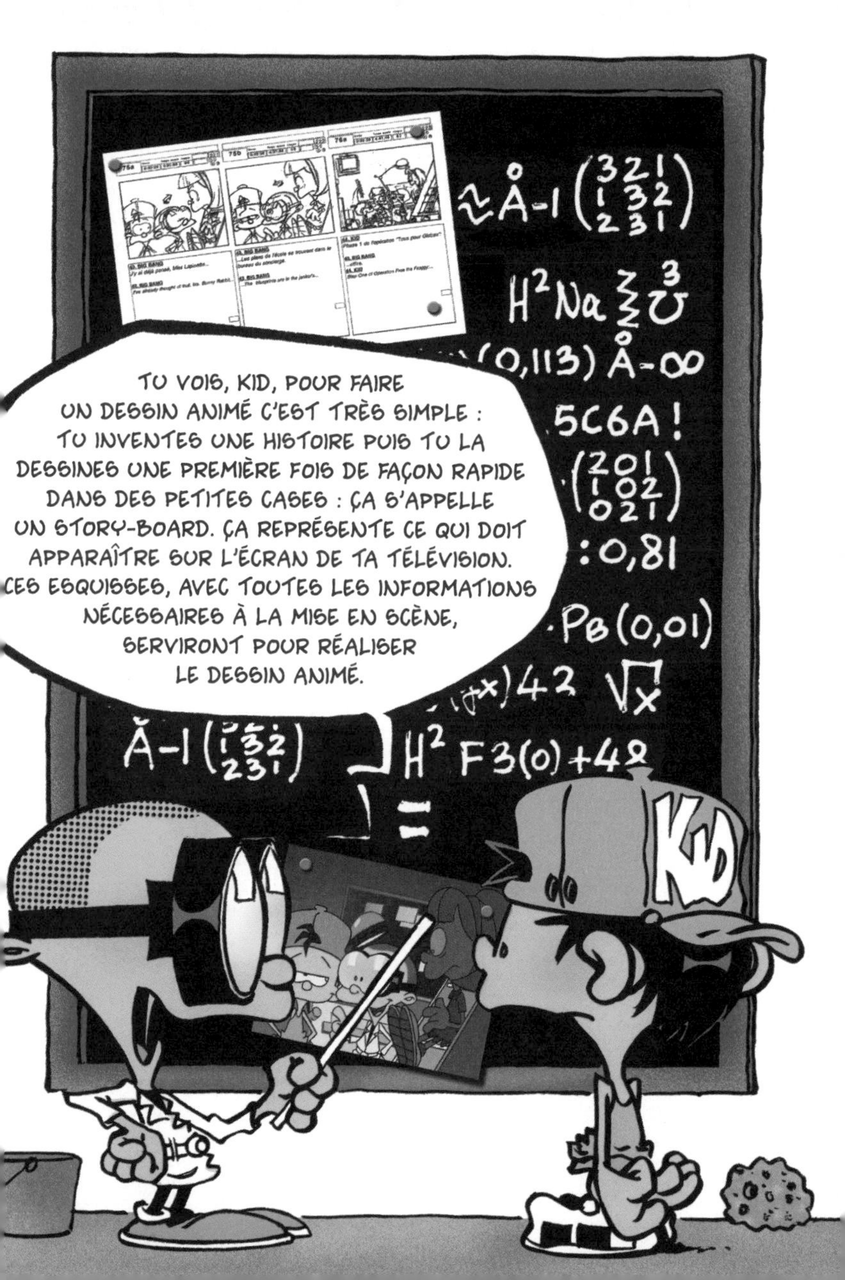
TU VOIS, KID, POUR FAIRE UN DESSIN ANIMÉ C'EST TRÈS SIMPLE : TU INVENTES UNE HISTOIRE PUIS TU LA DESSINES UNE PREMIÈRE FOIS DE FAÇON RAPIDE DANS DES PETITES CASES : ÇA S'APPELLE UN STORY-BOARD. ÇA REPRÉSENTE CE QUI DOIT APPARAÎTRE SUR L'ÉCRAN DE TA TÉLÉVISION. CES ESQUISSES, AVEC TOUTES LES INFORMATIONS NÉCESSAIRES À LA MISE EN SCÈNE, SERVIRONT POUR RÉALISER LE DESSIN ANIMÉ.
KID

1

Je me présente : mon nom est Paddle, Kid Paddle.

Avec mes potes, Horace et Big Bang, on forme une sacrée bande au collège. On n'est peut-être pas les plus avancés en cours, mais on a une spécialité : les idées ! On déborde d'idées, on en a des tonnes, au moins douze par minute !

Le jour de la sortie à Jurassicland, on se sentait excités comme des puces préhistoriques. Disékator, notre prof de biologie, nous accompagnait et c'était notre pote, le chauffeur de la colo perdue, qui était au volant du car. La plupart des élèves de la classe roupillaient sur leurs sièges ou jouaient avec leurs mini-consoles, mais nous pas du tout ! On l'attendait depuis des semaines, cette sortie !

Disékator faisait des va-et-vient dans l'allée centrale en claironnant ses instructions d'une voix grinçante:

— Pour illustrer notre cours sur la préhistoire, nous allons faire une visite complète du parc des dinosaures. Je compte sur vous pour être attentifs... Attention à l'interrogation surprise demain matin !

Assis au fond du car, Horace et moi, on ne perdait pas une miette de ce que racontait Big Bang, notre meilleur-spécialiste-mondial-du-collège en sciences dinosauriques.

— Figurez-vous, disait-il, que selon

Préhistoire Magazine, une comète s'est écrasée sur la terre, il y a des millions d'années. L'impact aurait été terrible et aurait soulevé un épais nuage de cendres, plongeant pour longtemps la surface du globe dans les ténèbres !

— Brrr… ! a grelotté Horace, « les ténèbres » ! Ça doit être tout noir, ça, non ?

À moitié dressé sur son siège, un bras levé vers le plafond du car, et l'index tendu, Big Bang a pris une voix d'outre-tombe pour conclure :

— Alors ce fut la fin des Tyrannosaures, Iguanodons, Diplodocus, et

autres Ptérodactyles !…

— Ben… Pourquoi la fin ? s'est étonné Horace. Il aurait suffit de brancher une veilleuse, comme celle que maman allume dans ma chambre la nuit !?

Parfois, les remarques d'Horace me plongent dans une sorte de catalepsie dormitive. J'ai fermé les yeux. Je crois que je me suis mis à rêver, bercé par le ronronnement du car et les commentaires de Big Bang :

— Sur la planète recouverte d'une épaisse couche de cendres, les dinosaures, qui étaient les plus costauds,

ont survécu quelque temps...

Dans mon rêve, de bons gros brontosaures joviaux se baladaient au milieu des champs de volcans en soulevant d'énormes nuages de poussière. Quand ils éternuaient, ça faisait des champignons atomiques, et parfois des mamans passaient un temps fou à rechercher leurs bébés dinos qui étouffaient sous la cendre.

— Mais comme ils étaient aussi un peu bêtas – c'est d'ailleurs pour ça qu'on les a surnommés les crétins du Crétacé –, continuait Big Bang, ils broutèrent la cendre, pensant que le

calcium qu'elle contient fortifierait leurs os et durcirait la coquille de leurs œufs…

Sous mes paupières fermées, une tripotée de dinos s'est mise à brouter la cendre fraîche et à la ruminer comme un troupeau de vaches normandes en pleine action. J'ai même vu une maman diplo accroupie sur ses œufs comme une mère poule en train de couver les siens. Et puis le car a freiné, ma tête a été cogner contre le siège de devant et je me suis réveillé ; on était arrivés.

On s'est dépêchés de descendre, pour

ne pas perdre une miette du spectacle. Disékator nous a servi de guide. Je voyais à ses yeux plissés qu'elle regrettait de ne pas avoir pu découper elle-même la couenne épaisse des Vélociraptors. Ces grandes maquettes empaillées nous regardaient de haut, les bouches ouvertes sur des dents taillées comme des rasoirs. Infatigable, Big Bang continuait sur sa lancée :

— C'est pour ça qu'aujourd'hui on retrouve des squelettes fossiles et des œufs de dinosaures tout en pierre !

— Ah bon !? s'est étonné Horace. Et pourquoi ils mettaient des faux cils,

d'abord, les dinosaures !?

Pour éviter de répondre, Big Bang a poussé un gros soupir. Après, on est passés devant une série d'automates dinosauresques, qui remuaient mécaniquement la tête. L'effet était moyen, on n'y croyait pas franchement. Seul Horace a été impressionné ; il venait de déchirer l'emballage de son sandwich au thon lorsqu'un tyrannosaure s'est brusquement penché vers lui en ouvrant grand sa gueule hérissée de crocs. Horace a fait un bond en arrière avant de venir se réfugier dans nos bras.

— YEEEKK !! a-t-il glapi ; j'suis pas comestible, moi ! Vade rétro, sale bestiole !

D'un geste connaisseur, j'ai avancé ma main vers un des crocs acérés et je l'ai tordu comme un bâton de guimauve. J'ai soupiré :

— Pfff !... Caoutchouc de base ! Sans intérêt ! Ces crocs sont incapables de déchiqueter quoi que ce soit !

Comme un dompteur face à une gueule de tigre, Big Bang a plongé la tête à l'intérieur de la bouche du monstre et a jeté un œil aux mécanismes en action.

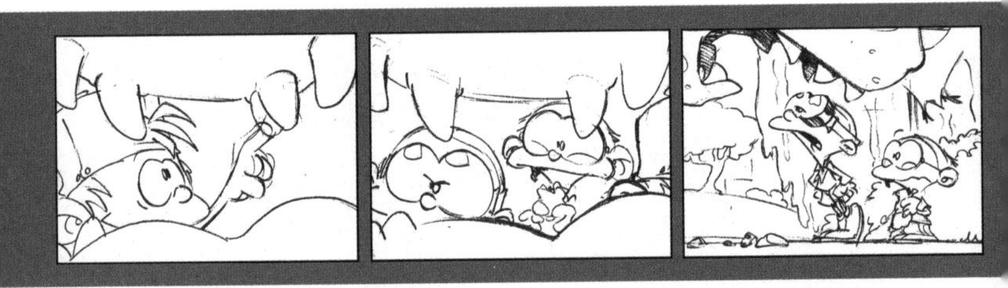

— Mouais, l'a-t-on entendu grommeler... Simple servo-moteur binaire... Technique dépassée du siècle dernier !

Il était temps de dresser un premier bilan :

— Assez minable, finalement, comme expo !

Big Bang a hoché la tête, il m'approuvait. On a continué un moment, pour la forme, mais déjà le cœur n'y était plus.

2

On ne s'est pas aperçus tout de suite qu'Horace nous avait faussé compagnie. Avec Big Bang, on a rejoint le groupe des autres élèves de la classe, toujours au garde-à-vous derrière Disékator. Quelle bande de mollusques ! Ils s'étaient arrêtés devant la reconstitution d'un habitat rustique, peuplé d'un groupe d'hommes de Néanderthal. Nos cousins préhistoriques, accroupis devant leur grotte, nous regardaient d'un œil mort, sous leurs fronts bas. Ils ressemblaient vaguement à des Blorks dégénérés et mal rasés. J'ai haussé les épaules.

— Débile ! Ils n'ont même pas la moindre massue cloutée ! Pas le moindre casque en cuivre ! Pas le moindre poignard en corne d'aurochs ! Ils pourraient au moins s'inspirer de

« La quête du Barbare XII » !

Aussi discrètement qu'il s'était absenté, Horace est revenu vers nous, serrant très fort son sac contre sa poitrine. Sur le coup, on n'a rien remarqué ; c'est après, en y repensant, qu'on a compris. On a continué la visite, aussi passionnés que si on avait parcouru un musée consacré à la culture de l'épinard nain ou au culte de la queue de cerise à travers les siècles.

En revenant au collège, Horace tenait toujours son sac précieusement contre lui, un sac étrangement déformé et pour ainsi dire sacrément gonflé. Il est

même resté tout seul sous le préau un moment, assis sur un banc près des toilettes. D'un coup de menton, Big Bang l'a désigné et m'a demandé :

— Qu'est-ce qu'il a ?

J'ai vaguement supposé :

— Un coup de fatigue, peut-être ?

On est allés le rejoindre. Il avait les bras croisés nerveusement autour de son sac, et semblait hyper mal à l'aise. Il fallait qu'on comprenne ; on s'est lancé un clin d'œil complice, avec Big Bang. En s'asseyant aux côtés d'Horace, on s'est lancés dans une conversation liquide. En général, c'était

très efficace. J'ai commencé :

— Tu l'as vu, toi, le docu sur les chutes du Niagara, hier soir ? Impressionnant, non ?

Big Bang a hoché la tête tout en renchérissant :

— Oui, toute cette eau qui s'écoule avec fracas…

— Ces gouttes par millions qui déferlent, qui dégoulinent, qui éclaboussent…

Horace a commencé à resserrer les jambes. Une goutte de sueur a perlé sur son front crispé. Big Bang a ajouté :

— Si on devait boire tout ça ! Tu te

rends compte ! Tous ces petits minuscules ruisseaux qui glougloutent avant d'aller se jeter dans les rivières !

— M'en parle pas ! La vessie toujours pleine à ras bord, on passerait notre vie aux toilettes ! N'est-ce pas, Horace ?

Il a craqué. Devenu tout rouge, il s'est levé précipitamment et a couru vers la porte des W.C. Il est rentré dedans en prenant à peine le temps de l'ouvrir. La bouche en coin, j'ai annoncé, d'une voix nasillarde:

— Game over !

Horace avait laissé son sac Rikiki sur le banc. On s'est dépêchés de jeter un

coup d'œil à l'intérieur. Il y avait de tout, là-dedans : quelques affaires de classe, un pull, une peluche de canard et une bouillotte. Mais, avant que l'on s'enfonce plus avant dans les profondeurs moites de son fourre-tout, sa voix haut perchée nous a stoppés net :

— Eh ! Qu'est-ce que vous faites ?

Horace avait changé d'avis. Il revenait en courant vers nous et s'est mis à hurler :

— ARRÊTEZ ! VOUS ALLEZ LE CASSER ! LAISSEZ MON SAC !

Il nous a arraché son sac des mains, et a fini par en sortir un gros truc ovale,

qu'il a serré contre lui comme une peluche. C'était un œuf. Alors sa voix s'est radoucie :

— Ben oui, quoi… Je l'ai trouvé tout à l'heure, à l'exposition préhistorique. C'est un œuf de dinosaure !

Il y a eu un silence. En considérant l’énorme coquille qu'il tenait, je lui ai demandé :

— Et tu veux nous faire gober ça ? !

Horace s'est recroquevillé autour de son petit protégé :

— Il était tout seul, abandonné dans un buisson... Un petit orphelin sans maman. Je ne pouvais pas le laisser

tout seul, il avait besoin d'un grand frère ! Eh ben, j'ai décidé : c’est moi, son grand frère !

J’ai ouvert de grands yeux et Big Bang a essuyé la buée qui venait soudain de se déposer sur ses lunettes.

— Mais… ai-je bafouillé, sans savoir quoi ajouter.

— Mais enfin… a fait Big Bang en

tournant l'intérieur de ses mains vers le ciel.

Horace avait l'air décidé ; pour lui arracher son œuf, il aurait fallu l'intervention d'un peloton de gendarmes surentraînés. Ou bien le chatouiller

sous les bras avec une plume de paon.

— Je dois m'en occuper, a-il insisté. Je ne veux pas qu'il finisse dans un zoo, moi !...

J'ai hoché la tête. Je comprenais ce qu'il ressentait. Il n'y a rien de plus flippant qu'un animal sauvage enfermé dans une cage, surtout quand il est encore bébé et que des crétins endimanchés lui jettent des cacahouètes sans même les éplucher ! Big Bang a hoché la tête et m'a fait un clin d'œil.

— T'inquiète, Horace ! Tu peux compter sur nous ! Kid et moi vivants, jamais ton ancestrae ovoïdus amicum

n'atterrira dans un zoo !

J'ai failli rectifier : « Euh, ça dépend combien on nous en offre… » et puis j'ai préféré me taire. Horace avait l'air trop angoissé, il n'aurait pas compris que je blaguais.

— Ou pire !… a-t-il ajouté en se cramponnant encore plus violemment à son sac; vous imaginez qu'il soit acheté par un cirque ?

Il voyait déjà son frère le dino avec un nez de clown, chevauchant un mini-tricycle ridicule avec un petit chapeau triangulaire sur la tête. Sous les traits de son dompteur, il imaginait sans

doute Disékator, maniant son fouet avec cruauté et hurlant :

— Allez, encore un petit tour de piste, monstrueux petit diplo !

Non, ce qu'il voulait, Horace, c'étaient des plaisirs simples, des promenades en forêt, histoire de gambader sur les chemins, que son bébé dino coure après les balles lancées par son maître, comme un gentil petit toutounosaure…

3

Quand la sonnerie de reprise des cours a retenti, on a aidé Horace à remettre son nouveau copain au fond de son sac. Et, dans les couloirs, on a fait bloc autour de lui pour éviter les bousculades. Juste avant de rentrer en salle de français, Big Bang nous a soufflé :

— Rendez-vous chez moi après les cours !

Bonne idée. Une fois dans son atelier, on aurait tout le matos pour regarder de plus près à quoi il ressemblait, son rescapé du crétacé ! Mais en attendant, il fallait se gaufrer les délires littéraires de « sire Glossaire », le seul prof de français du territoire assez vieux pour avoir fréquenté les dinosaures !

— Silence ! a-t-il attaqué, alors que

personne n'avait rien dit. Veuillez prendre la page 72 de l'intégrale des poèmes d'Amédée Feuillasse.

En ronchonnant, on a compulsé notre livre jusqu'à arriver à la page indiquée. C'était un cycle de poèmes dédiés à la nourriture sous toutes ses formes ; comme on sortait de table, on s'est sentis un peu écœurés. Glossaire, lui, frémissait d'admiration. N'étant jamais mieux servi que par lui-même, il a attaqué la lecture du texte, une bave mousseuse frémissant au coin de ses lèvres :

— « Omelette, omelette, aux

tomates et aux champignons. Omelette, omelette que ta vie est bête, Omelette aux patates et aux p'tits lardons. Un jour œuf, demain Omelette ! Une vie pas très chouette. »

Ça ne pouvait pas tomber plus mal.

En l'entendant, Horace a été parcouru par un frisson d'épouvante. On l'a vu serrer convulsivement son sac déformé sur sa poitrine. La suite du poème était encore pire ; il était question d'huile bouillante et de crachotements d'agonie au fond d'une poêle à frire. Horace est soudain devenu très pâle et, avant qu'on

puisse le rattraper, il a dégringolé de son siège et s'est crashé sur le linoléum de la salle de cours.

C'est le problème, avec Horace ; il est trop sensible ; rien ne peut le stresser davantage que le destin d'un jaune d'œuf battu à mort et ébouillanté !

Heureusement que dans la soirée,

chez Big Bang, on l'a aidé à se remettre. Si vraiment il y avait un embryon de dino à l'intérieur de cet œuf, il fallait le ramener à la vie ! Et il y avait urgence : il devait commencer à s'ankyloser, après cinq mil-

lions d'années d'inactivité forcée ! Ses cartilages avaient dû rouiller !

Sur les instructions de Big Bang, on l'a placé sur sa chaise de bureau matelassée et sous le faisceau de trois lampes halogènes. Horace, confiant, ne l'a plus quitté des yeux, prêt à secourir le nouveau-né. Nous, on se sentait un peu plus réservés. J'ai essayé de préparer le terrain, en me grattant la tête :

— Ce n'est pas qu'on voudrait se montrer défaitistes, Horace, mais…

— … Après tous ces millions d'années, tu sais, il y a peu de chance

qu'il soit encore vivant !

Sans même tourner la tête vers nous ni quitter son sourire béat, Horace a certifié :

— Si si ! Je suis certain qu'il y a un poussin de dinosaure à l'intérieur !

J'ai entendu son cœur battre en collant mon oreille contre un pot de yaourt posé dessus !

J'en ai douté :

— Tu es sûr que le pot était vide ? Il n'y avait pas de cafard dedans ?

— OK, Horace ! a soupiré Big Bang ; branche le micro si ça peut te faire plaisir !

Alors Horace a attrapé l'un des câbles qui traînait par terre et a ramené à lui le micro qui pendouillait. L'autre bout du fil était relié à un ordi, lui-même connecté à la chaîne hi-fi. Horace a collé le micro contre la paroi de son œuf adoptif et on a attendu.

Soudain, la membrane des enceintes s'est mise à vibrer. Big Bang a poussé le volume au maximum, et d'énormes battements de cœur ont résonné dans la pièce :

Boom-boom... boom-boom... boom-boom ...

À voir en face de moi la tête ahurie de Big Bang, j'ai compris que je devais faire à peu près la même, mâchoire tombante et regard débile. Horace, lui, a serré le poing en criant :

— YES !

Big Bang et moi, on s'est tournés vers l'œuf qui miroitait sous ses trois projecteurs. D'une même voix, on s'est exclamés :

— VIVANT !?

— C'est ce que je me tue à vous dire depuis ce matin ! a fait Horace en haussant les épaules.

Big Bang s'est nerveusement expliqué, un peu gêné aux entournures :

— Bon, oui, bien sûr, a-t-il balbutié ; un miracle est toujours possible... ce sujet, il existe d'ailleurs une théorie sur le retour des dinosaures : « Le Dinosaure Code », de Ian Da Vinci, basée sur un fait divers réel, et …

Je l'ai coupé :

— … Dont s'est inspiré le jeu « Néandertal bloody quest », l'un des plus sauvagement sanglants jamais inventés !

— Qui prouve qu'il est impossible d'apprivoiser un dinosaure ! a conclu Big Bang

— Et pourquoi pas ? a demandé Horace, les narines dilatées.

— Mais enfin, Horace, leur cerveau n'était pas plus gros qu'un petit pois! … Ils n'étaient pas plus malins que des sauterelles !

Horace n'avait pas dit son dernier mot :

— Et alors ? En attendant, il n'est pas interdit d'apprivoiser des sauterelles, que je sache !

Une sauterelle de dix mètres de

haut, j'aurais demandé à voir, moi…

4

Il fallait regarder la vérité en face, sans baisser les yeux : avoir un dinosaure à la maison, ce ne serait simple pour personne ! Je m'y voyais déjà, tiens : il nous faudrait un méga loft avec un grand jardin, penser à prévenir les voisins pour ne pas qu'ils hallucinent, et trouver l'adresse d'un véto spécialisé !

Sans parler des repas. Pour peu qu'il soit carnivore, baby-dino, il lui faudrait au moins deux bœufs bien gras par jour ! C'est notre boucher qui serait ravi ! Il nous déroulerait le tapis rouge, quand on se pointerait dans sa boutique. Je voyais déjà mon père allonger des liasses de billets et les poser sur le comptoir, les mâchoires serrées et l'œil noir.

Notre commande nous attendrait sur

le trottoir : plusieurs carcasses de bétail et des kilos de charcuterie débordant d'une brouette, le tout baignant dans une mare de sang encore fumant. Pendant ce temps-là, tout joyeux et se léchant les babines, notre dino ferait des bonds autour de nous, en démolissant toutes les vitrines de la rue et perturbant la circulation.

Ça vaudrait même peut-être le coup d'aller à l'école en chevauchant un dinosaure. Pour les potes du collège, ce serait total respect. Et elles en mordraient leurs Queenie, les copines de Carole ! Même les profs en laisseraient

échapper leur dentier, de me voir attacher mon dino à la grille du parc à vélos.

Je le laisserai attendre là, et pour qu'il tienne le coup jusqu'au soir, je lui aurais préparé un hamburger géant au bœuf entier. Après l'avoir gratté sous le menton et lui avoir tapoté les naseaux, je lui dirais :

— À ce soir ! Ne fais pas de bêtises sans moi !

Mouais. Horace ne se rendait pas compte, mais même un petit œuf risquait de donner un tyrannausorus rex gigantesque et très remuant. Au bout

de deux semaines, même caché dans son lit, la nuit, il prendrait tellement de place qu'Horace finirait par devoir aller dormir par terre !

En attendant, l'heure était grave. Face à un phénomène si extraordinaire, il fallait se serrer les coudes. Debout au milieu du labo de Big Bang, on s'est placés en cercle, tous les trois, et on a levé la main droite pour jurer :

— « Nous promettons de garder le secret…

— …de l'œuf de dinosaure retrouvé !

— … et de lui apporter protection et assistance sans compter ! »

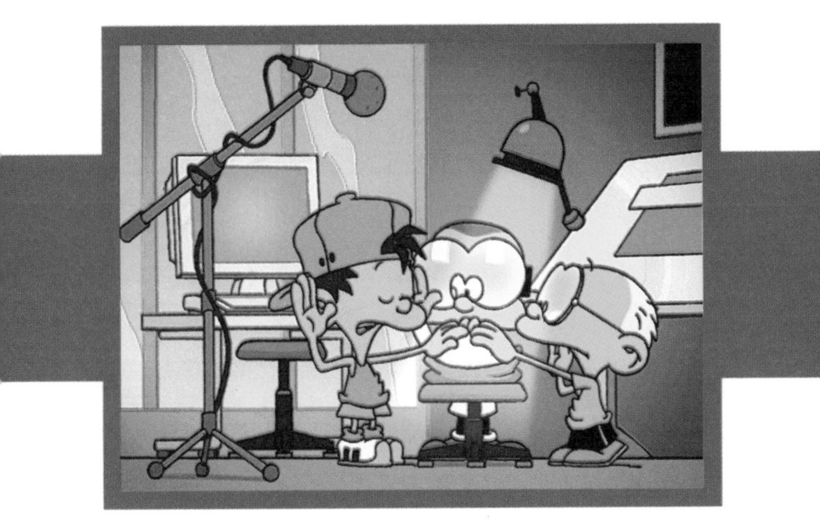

Au moins, grâce à notre alliance, la protection des espèces animales en danger serait assurée. Mais comme l'a fait remarquer Big Bang en s'épongeant le crâne, on n'était pas au bout de nos peines :

— Bon, c'est pas tout ça, mais il va falloir s'en occuper, de cet œuf !

J'ai proposé :

— Pendant qu'Horace et moi on garde un œil dessus, t'as qu'à fabriquer une vraie couveuse !

— On ne trouvera peut-être pas une poule assez grosse ? s'est inquiété Horace.

Le cerveau de Big Bang s'est mis à phosphorer ; ça faisait des éclairs derrière les triples verres de ses lunettes. Il a marmonné :

— Une couveuse, tu dis ? Avec alarme à détection thermo-dynamique, alors !... Ouais, ça peut se faire...

On s'est claqué la paume des mains

d'un geste sec. En attendant que Big Bang mette au point sa couveuse, on est allés chez moi, avec Horace et son œuf. Tout de suite, il a fallu penser à le mettre au chaud. Une fois dans ma chambre, Horace est allé stationner

devant le radiateur.

— On n'a qu'à le mettre là, sur un tabouret, juste à côté de la grille ?

— Mmhh… bonne idée, mais il faut augmenter le chauffage !

J'ai couru jusqu'à la chaudière et j'ai

monté le thermostat à fond. Le problème, c'est que mon père, qui était en train de lire son journal dans le salon, s'est mis à transpirer comme une éponge. Des gouttes de sueur se sont détachées de son front et ont fait des grosses taches sur les pages de son canard. On a sursauté quand il a ouvert à la volée la porte de ma chambre.

— Qu'est-ce qui se passe, Kid ? a-t-il hurlé ; la maison est un vrai sauna !

Horace s'est précipitamment interposé devant son œuf. Je me suis collé contre lui, épaule contre épaule et j'ai pris un ton dégagé pour répondre à papa, en lui donnant un discret coup de coude:

— Ah, ça ? Euh… oui, c'est à cause

d'Horace ; il a un rhume carabiné, préhistorique, pour tout dire ! Et … il faut absolument le tenir au chaud !

Horace s'est mis à renifler bruyamment, avec un bruit d'égout pas frais. Papa a fait un pas en arrière, légère-

ment dégoûté.

— Hum, en effet, a-t-il dit en pinçant les narines. Il couve peut-être même quelque chose de plus grave ! Bon, qu'il rentre vite chez lui ! Et baisse le chauffage, s'il te plaît, Kid !

Il est sorti en claquant la porte derrière lui et un petit vent tiède est venu jusqu'à nous. On s'est épongé le front.

— Oufff ! ai-je soupiré, on a eu chaud !

5

Pendant ce temps, chez lui, Big Bang suait aussi sur sa machine à couver ; il bricolait comme il pouvait un nid électro-magnétique à base de fils de grille-pain entremêlés. Au-dessus de son plan de travail, des projecteurs de ciné éclairaient l'action.

— Voilà, a-t-il commenté, ne reste plus qu'à régler le détecteur calorifique…

Mais il ne pouvait pas non plus s'empêcher de délirer sur la réussite de l'expérience. Il se voyait déjà au pupitre d'un congrès des plus hautes autorités scientifiques de la planète.

— Mes chers confrères, proclamait-il, j'ai le plaisir, l'honneur et l'avantage de vous présenter ma dernière découverte, qui va révolutionner toutes les théories sur l'évolution des espèces !

D'un geste théâtral, il se tournait vers un rideau rouge, derrière lui, qui s'ouvrait lentement. Une tête de dinosaure aux dents saillantes apparaissait alors, se penchant vers le public en délire. Pointant de sa baguette la tête du monstre, Big Bang pouvait alors clamer :

— Messieurs… Tyrannosaurus Rex en chair et en os !

Sous les ovations et les tonnerres d'applaudissements, notre pote s'inclinait pour saluer la foule, heureux, mais modeste. N'empêche qu'en attendant cette apothéose, il y avait encore deux-trois détails à régler. Horace et moi, on

était à l'affût de la moindre idée de génie pour aider notre oisillon carnivore à éclore.

Sans le savoir, c'est Carole qui nous est venue en aide. Elle s'est fait couler son bain du soir, et en attendant que la baignoire se remplisse, elle est retournée dans sa chambre pour téléphoner à ses copines. Un bain bien chaud, évidemment ! Voilà ce qu'il fallait à notre œuf ! Le pauvre... Il devait être pressé de voir le jour, après ces millénaires enfermé dans sa pièce unique !

On s'est faufilés dans la salle de bains que Carole avait abandonnée et on a

ajouté un demi-litre de mousse dans la baignoire. Tant qu'à voir le jour, autant que ce soit agréable et que ça sente bon. Puis, d'un double geste décidé, j'ai ouvert à fond le robinet d'eau chaude et fermé celui d'eau froide. Horace a hoché la tête un moment, pendant que la pièce se remplissait de vapeur et puis s'est décidé à me demander :

— Euh... Kid... Tu es sûr que les dinosaures savent nager ?

— Évidemment, j'ai fait en levant les yeux au plafond où commençaient à se former des gouttelettes genre sauna. Tous les animaux descendent des pois-

sons, et les dinosaures encore plus que tous les autres, figure-toi !

Il n'avait pas l'air convaincu.À tout hasard, il a posé un petit Rikiki en plastique sur la pellicule de mousse, comme une cerise sur un gâteau à la chantilly. Peut-être que le dino serait content d'avoir un jouet sous la main quand il sortirait. Sous la patte, je veux dire.

— Mais s'il éclot dans l'eau, a insisté Horace, il risque de se noyer comme ses ancêtres pendant la fonte des glaces !

Souvent Horace mélange les histoires sorties de son imagination et les sciences naturelles. Il suffit de le

savoir, c'est tout. Sans répondre, j'ai plongé ma main dans l'eau, et je l'ai retirée instantanément ; elle était aussitôt devenue violette. Cramé mais satisfait, j'ai fermé l'eau chaude en observant :

— Au moins soixante degrés ! Température idéale… Tout est prêt pour la naissance !

Il ne restait plus qu'à aller chercher le bambin. On est ressortis en laissant la porte ouverte. Comme je sentais qu'Horace était encore un peu inquiet, j'ai essayé de le rassurer :

— T'en fais pas, Horace, j'ai une

bouée dans la chambre ! S'il appelle au secours, on n'aura qu'à la lui lancer, comme dans « Alarme à Malibou » !

— Mouais… Mais si ça te dérange pas, je prends quand même ton masque et ton tuba, au cas où !

Hélas ! On n'a pas eu le temps de tester la flottabilité des jeunes dinos. Lorsqu'on est revenus vers la salle de bains, quelques instants plus tard, on a remarqué que la porte avait été refermée. Carole nous avait court-circuités. On avait l'air malin, avec notre œuf qui faisait une boule sous une couverture enroulée, mon tuba fiché dans la bouche

d'Horace, et ma bouée « Blork » autour de ses hanches…

Et puis un terrible hurlement a retenti de l'autre côté de la porte. J'ai fermé les paupières en grimaçant. Carole avait dû rentrer d'un coup dans la baignoire, sans prendre le temps de vérifier la température de l'eau. Ça avait dû lui faire tout drôle ; une sorte d'insolation, mais liquide, un ébouillantement instantané, un supplice de force 5 sur l'échelle de « Diabolik Système 3 » !

Prudemment, j'ai entraîné Horace et on a tourné à pas de loups l'angle du couloir. Il était moins une. La porte de

la salle de bains s'est rouverte à la volée, libérant une Carole furieuse, une serviette jetée à la va-vite en travers de ses épaules.

— QUEL EST LE MALADE MENTAL QUI A EU L'IDÉE DE CETTE

BLAGUE IDIOTE ET DANGEREUSE AU PLUS HAUT POINT ?! a-t-elle éructé, complètement hors d'elle.

Pour une fois que ce n'était même pas une idée de blague…

— Que je ne vous attrape pas, bande de dégénérés !

On s'est tenus à carreau.

6

Finalement, on a préféré aller passer la nuit chez Big Bang. Il avait fignolé son « P.C.S.C.P. » – Projet de Couveuse pour Survivants du Crétacé et du Pléistocène – et son appareil trônait sur une table, au milieu du bazar de son labo. Le protégé d'Horace pourrait y reposer tranquille jusqu'à l'éclosion finale.

On a eu du mal à aller se coucher. Derrière les parois vitrées, les fils électriques et les convecteurs donnaient leur pleine puissance, et l'œuf semblait se contorsionner d'aise. Un sourire un peu niais aux lèvres, Big Bang a déposé un radio-réveil à proximité de l'appareil.

— Pour un bon réveil, rien ne vaut une ambiance musicale bien fun !

— T'as raison, a approuvé Horace,

en se penchant une dernière fois contre la vitre. Allez, bonne nuit, Œufgène !

C'était nouveau, ça.

— Tu l'as appelé comment ? ai-je grimacé, en recouvrant la couveuse d'une couverture : Eugène ?

— Oui, ou Œufstache ! J'hésite ! Mais Œufrydice, si c'est une fille !

En sortant de la pièce, Big Bang a

haussé les épaules :

— Et pourquoi pas Œuf=Mc2 ?

Moi, je ne m'y faisais pas.

— Eugène, Eurydice, Eustache... Pfff !! c'est pas des noms de dinosaures, ça !

On a discuté encore un moment, mais impossible de faire changer Horace d'avis. De guerre lasse, on s'est endormis comme des souches. La journée avait été si riche d'événements qu'on a commencé à rêver à peine allongés.

Mon T-Rex m'avait attendu dans un repli de mon sommeil. D'un bond, j'ai sauté sur son dos et il s'est élancé dans les rues de la ville. Je l'ai aiguillonné d'un coup de talon, et il s'est mis à poursuivre un camion de livraison rempli de poupées « Queenie ». Le chauffeur, affolé, a perdu le contrôle de son véhicule dans un

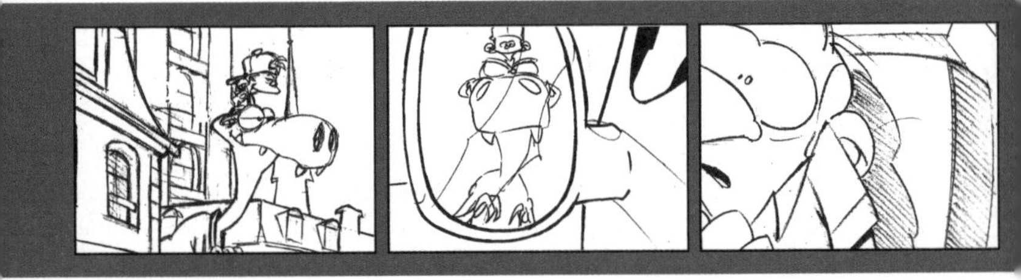

virage et une partie de son stock s'est retrouvée sur la chaussée.

Désarticulées, des dizaines de Queenie se sont retrouvées au sol, ont rebondi sur le macadam et la gueule de mon T-Rex les a happées au vol, dans un affreux bruit de chairs plastiques malaxées. Finalement, le camion tout entier a fini par se renverser. C'était merveilleusement sinistre d'entendre brailler les poupées démembrées…

Quand j'ai rouvert les yeux, c'était déjà le matin et je n'avais pas vu la nuit passer. J'ai jeté un regard à Horace. Il

ronflait toujours, et souriait béatement, serrant une peluche Rikiki contre son cœur. Il devait rêver de plages paradisiaques sur fond de coucher de soleil, et de parties de cache-cache marin avec son jeune dino gambadant dans les vagues.

Il était temps de se secouer. J'ai réveillé mes deux comparses et le temps que Big Bang enfile sa blouse blanche de technicien spécialisé, on a été se repointer près de la couveuse. Le micro, toujours relié à l'ordinateur, envoyait aux enceintes des pulsations affolées. Horace s'est tourné vers nous,

tout excité :

— Vous entendez ? Son cœur s'accélère !

Big Bang a ajusté ses lunettes sur son nez et a pris sa voix de prix Nobel, pour dire :

— Oui, je crois que l'éclosion est proche !

On s'est placés en cercle autour de

la couveuse. Il faisait super-chaud et on s'est mis à ruisseler du front. C'était l'émotion. J'ai tendu la main vers la couverture et j'ai doucement commencé à la retirer. Et là, notre rêve s'est effondré. A dégouliné, plutôt. Au lieu d'un bébé

dino rosâtre et dégoulinant, il n'y avait plus, au milieu de la couveuse, qu'une sorte de ramassis brunâtre et informe. Ouvrant des yeux catastrophés, Horace a hurlé :

— EUGÈNE !!!

— Œuf=Mc2 !!! a gémi Big Bang.
— Bouillie atomique ! j'ai ragé en envoyant valser la couverture derrière mon dos.

En écho, le radio-réveil qu'on avait programmé s'est mis en route. On est tombés pile sur un jingle de pub. Ça faisait :

— « Venez vite dans le parc munici-

pal ! La grande chasse aux œufs de Pâques offerts par Galactic Park est ouverte ! »

On s'est regardés un long moment, sans rien dire, avec des yeux pleins de vide et des cerveaux en compote. Et puis, en laissant traîner les yeux par terre, j'ai remarqué que le fil du micro collé sur l'œuf n'était plus du tout relié aux amplis. C'était un autre câble qui partait de l'ordi et qui disparaissait au fond de la poche de la blouse blanche. Big Bang venait de l'enfiler et c'était son propre cœur qui battait le tempo dans les infra-

graves. On s'était fait gruger comme des flans de base, des veaux moyens, des Blorks arriérés.

— « Dépêchez-vous ! a repris l'annonce de pub : un seul de ces œufs en chocolat contient des entrées gratuites pour la première du nouveau manège “Le coquetier infernal”. »

Horace a soulevé le couvercle de la machine à couver, a glissé son bras à l’intérieur, et a trempé son doigt dans la mixture molle qui s’avachissait au fond. Puis il a goûté. Un peu méfiants, on a attendu son verdict.

— Sucre et chocolat ! a-t-il estimé,

après avoir suçoté un long moment l’extrémité de son index. Œufgène manque un peu de piment rouge à mon goût !

Alors on a compris. L’œuf qu’Horace avait ramassé dans un buisson au Jurassicland et qu’il avait confondu avec un survivant du crétacé n’était qu’un vulgaire œuf de

Pâques, caché là exprès pour une opération publicitaire !

7

Même si on s'est sentis vexés comme des gros poux, aucun de nous trois n'aurait voulu le montrer. On a fait comme si rien ne s'était passé et on a foncé au parc pour avoir notre part du gâteau : les œufs en chocolat, c'était moins puissant que les poussins de tricératops, mais au moins, ça fondait sous la langue !

Sur place, on est tombés sur Alberico, Mortimer et Max qui fouillaient déjà les buissons. Même Pitbull s'y était mis, sauf que lui, pour aller plus vite, il ne les fouillait pas : il les arrachait, les buissons. Nous, on suivait Horace : depuis la veille, il était devenu champion au palmarès des dénicheurs toutes catégories ! Tout en marchant les narines en l'air et l'œil palpitant, il marmonnait :

— Oui, ça ressemblait à ça ! C'est sous des arbustes de ce genre que j'ai trouvé Œufgène ! !

Derrière, Big Bang ramenait sa science : il avait actionné le radar de son stylo multifonctions et le brandissait devant lui comme une baguette de sourcier pour essayer de capter la trace des œufs.

Le stylo émettait des « bips-bips » réguliers. De mon côté, j'encourageais mes troupes :

— Allez, les gars, du flair ! De l'intuition ! On doit absolument trouver cet œuf !

— Surtout maintenant qu'on a une nouvelle recette, a renchéri Horace qui se souvenait avec délices du chocolat fondu qu'il avait lapé avant de venir.

Il était agenouillé devant un gros

buisson et disparaissait à moitié dessous. Soudain, on l'a entendu s'écrier :

— Eh ! Les gars ! J'ai même trouvé un nid !

Au même moment, des cris et des caquètements aigus nous ont fait sursauter. Non seulement Horace avait trouvé un nid, mais il avait trouvé les

occupants qui allaient avec.

— AAAAAAHHHHHHHHH !!! a-t-il hurlé en se relevant et en essayant d'éviter les coups de bec qui pleuvaient sur lui.

Les bras chargés de gros œufs blancs, il s'est enfui dans le désordre, en essayant d'échapper à la charge d'un couple de cygnes adultes, comme les rescapés de « Massacre au scalpel VI », à la fin du film.

— C'est mes œufs ! a-t-il crié ; c'est moi qui les ai trouvés le premier !

Il était vraiment doué. Il avait le chic

pour tomber sur des trucs curieux, que personne d'autre ne trouve jamais. Avant qu'il ne disparaisse à l'autre bout du parc, j'ai eu le temps de hurler :

— Vas-y, Horace ! On prépare la couveuse !

C'est vrai, ce serait sympa d'adopter des cygnes. Et ça ferait de la compagnie à Rikiki le canard …

RETROUVE TES AUTRES SÉRIES

LE JEUNE SHOBU SERA-T-IL CAPABLE DE DEVENIR UN VÉRITABLE MAÎTRE KAIJUDO ?

LA FABULEUSE QUÊTE DE CELUI DONT LE REGARD PEUT FAIRE FONDRE LE MÉTAL !

HÉROS PRÉFÉRÉS DANS LES DE LA BIBLIOTHÈQUE VERTE

LES AVENTURES DU COW-BOY SOLITAIRE LE PLUS CÉLÈBRE DE L'OUEST...

KID ET SES POTES : PAS MOINS DE DOUZE IDÉES PAR MINUTE... GLUANT !

LA LUTTE SECRÈTE DE CINQ COLLÉGIENS CONTRE LE VIRUS INFORMATIQUE XANA...

MIDAM
KID PADDLE
1
JEUX DE VILAINS
DUPUIS
MIDAM
KID PADDLE
2
CARNAGE TOTAL
ZAP
ZAP
ZAP
MIDAM
KID PADDLE
3
APOCALYPSE BOY
DUPUIS
MIDAM
KID PADDLE
4
FULL MÉTAL CASQUETTE
DUPUIS
MIDAM
KID PADDLE
5
MIDAM
KID PADDLE
6
RODÉO BLORK
DUPUIS
MIDAM
KID PADDLE
7
WATERMINATOR
DUPUIS
MIDAM
KID PADDLE
8
PADDLE... MY NAME IS KID PADDLE
DUPUIS
9
BOING! BOING! BUNK!
DUPUIS
MIDAM
KID PADDLE
10
DARK... J'ADORE !
DUPUIS
KID PADDLE PRÉSENTE
MIDAM • ADAM & C°
GAME OVER
BLORK RAIDER
1
DUPUIS
Chaque semaine dans
SPIROU
et sur
SPIROU.COM
www.kidpaddle.kidcomics.com
www.dupuis.com

KID PADDLE MAGAZINE
JOUÉ TESTÉ ET APPROUVÉ !
Tous les mois, dévore ton
KID PADDLE MAGAZINE
KID PADDLE
MENACE ARACHNIDE
RECORD MAXIMUM
DVD
M6 VIDEO
Un coffret des meilleurs épisodes de Kid Paddle avec des bonus délirants.
KID PADDLE BATTLE MANIAC
+2 CARTES FLUO FLUO KAARTEN
KID PADDLE QUARTOONS
Carta Mundi
www.cartamundi.com
Les jeux de cartes

Pour continuer le délire, retrouve Kid et toute sa bande en Bibliothèque Verte, dans "Une semaine d'enfer !" et dans "L'Encyclo Kid Paddle".

KID PADDLE
ENFIN SUR
GAME BOY ADVANCE
NOVEMBRE 2005
GAME BOY ADVANCE
KID PADDLE
7+
Nintendo
X 00
X 03
X 17
1/35
ZAP
MIDAM © Dupuis, 2005.
www.kidpaddle.kidcomics.com
DUPUI